한국의 아름다운 사계

- 춘春 하夏 추秋 동冬 -

남표경 지음

한국의 아름다운 사계

발　행 | 2024년 7월 1일
저　자 | 남표경
기　획 | 인천광역시교육청중앙도서관
펴낸이 | 한건희
펴낸곳 | 주식회사 부크크
출판사등록 | 2014.07.15.(제2014-16호)
주　소 | 서울특별시 금천구 가산디지털1로 119 SK트윈타워 A동 305호
전　화 | 1670-8316
이메일 | info@bookk.co.kr

ISBN | 979-11-410-9102-6
본 책은 인천광역시교육청중앙도서관의 2024년 읽걷쓰 사업의
일환으로 제작된 도서입니다.
www.bookk.co.kr

한국의 아름다운 사계

남표경

봄  여름

가을  겨울

목 차

제 1 부
사계

제 2 부
봄

제 3 부
여름

제 4 부
가을

제 5 부
겨울

한국의 아름다운 사계

  사계절의 변화는 자연의 소리를 담아내는 아름다운 음악회와 같습니다. 그중에서도 봄은 마치 오랜 겨울의 잠에서 깨어나는 순간처럼, 산과 들에 생명의 악보를 펼쳐놓습니다. 우리는 이 봄비가 내릴 때마다 흙의 향기를 맡으며, 어린 새싹들이 움트는 것을 보며 새로운 시작을 꿈꾸게 됩니다. 이렇게 봄은 우리에게 희망의 노래를 들려줍니다.

  여름은 열정의 계절입니다. 태양의 뜨거운 입맞춤을 받으며 땅은 더욱 풍요로워지고, 들판은 무성한 녹색의 옷을 입습니다. 여름밤의 별빛과 함께 청춘의 열기를 느끼며, 가족과 친구들과의 따뜻한 정을 나누는 시간입니다. 우리는 이렇게 여름의 향연 속에서 생의 활기를 느낍니다.

가을은 수확의 기쁨을 가져다주는 반짝이는 금빛 계절입니다. 하늘은 더 높아지고, 공기는 한층 더 선명해집니다. 곡식이 익어가는 들판은 황금빛 물결을 이루며, 우리의 마음도 그 풍성함으로 채워집니다. 가을의 정취 속에서 우리는 인생의 깊은 맛을 알아가며 성찰의 시간을 갖게 됩니다.

겨울은 그리움을 노래하는 계절입니다. 하얀 눈이 모든 것을 순수하게 만들어주며, 차가운 공기는 우리의 기억을 더욱 선명하게 해줍니다. 가족과 함께 따뜻한 이불 속에서 옛 이야기를 나누며, 새해의 희망을 기다리는 겨울은 마음을 더욱 풍부하게 만들어줍니다.

이 시집은 한국의 사계를 통해 우리가 어떻게 삶을 이해하고, 자연과 하나 되어 감정의 교감을 나누는지를 보여줍니다. 여러분이 이 페이지를 넘길 때마다, 각 계절의 독특한 아름다움과 함께 그 계절이 우리에게 주는 깊은 울림과 메시지를 느낄 수 있기를 바랍니다. 자연의 리듬에 맞추어 우리의 내면도 조화롭게 울리도록, 이 시들이 여러분의 마음에 스며들길 기원합니다.

제 1 부
사 계

승기천의 아름다운 사계

  승기천은 도심 하천이다. 하천을 가운데 두고 남동구와 연수구가 경계를 이루고 있다. 구월동 농산물 도매시장 앞에서 발원하여 송도 신도시까지 흘러간다. 개천의 폭은 그리 넓지는 않지만, 장마철에는 많은 물들이 흘러 들어온다. 개천을 사이에 두고 양쪽으로 자전거 전용도로와 보행자 산책길이 이어져 있다. 연수구 쪽에는 선학 경기장이 있고 남동구 쪽에는 주말농장이 내를 사이에 두고 나란히 붙어 있다.

  봄이 오면 냇가에는 새싹이 파릇파릇 돋아나고 수양버들 가지에는 앙증맞은 잎들이 돋아나오면 어느덧 주말농장에는 감자를 심고 상추와 토마토 오이 모종을 심느라 분주하게 일손이 움직인다. 개나리와 이름 모를 풀꽃들의 향연들과 잉어 떼는 산란을 위해서 아침저녁으로 자맥질하고 따뜻하고 신선한 물을 따라 상류로 거슬러 올라오고 꿩 울음소리는 도시의 아침 정적을 깨우며 둑길 아카시아 꽃향기는 코끝을 자극하면 봄은 절정에 다다른다.

승기천의 여름은 6월의 뜨거운 태양과 푸르른 녹음으로 가득하고 메타세쿼이아는 하늘 높이 높이 나날이 커져만 간다. 갈대와 잡풀들은 어른의 키를 훌쩍 넘기고도 남을 만큼 자라고 한낮의 태양은 더욱더 수목의 푸르름을 더하게 한다. 풀숲에서 나온 뱀은 행인을 깜짝 놀라게 한다. 구청에서 마련한 뱀 조심 팻말은 소용이 없나 보다. 오리 가족은 엄마 오리를 따라 수영하며 한여름을 즐겁게 보낸다. 봄에 산란한 잉어는 제법 자라서 개천 바닥 수초 사이를 헤엄치느라 분주하다.

승기천의 가을은 코스모스의 한들한들 우줄 우줄 바람에 흔들리며 춤을 추며 시작된다. 파란 하늘과 뭉게 구름은 냇물에 아름답게 비치면 동화책 그림같이 아름답다. 빨간 고추잠자리는 군무를 이루어 하늘을 빙빙 돌며 마음껏 자유를 누리며 날아다닌다. 한낮의 햇빛은 아직 따갑지만, 아침저녁으로 제법 서늘하고 상쾌한 바람이 불어오면 가을 노을은 문학 경기장 뒤를 붉은빛으로 예쁘게 색칠하며 뉘엿뉘엿 서산을 넘어가고, 선학 경기장 옆 승기 천 국화 축제는 꽃향기에 취한 관람객들은 포토존에서 연신 카메라 셔터를 눌러대기에 바쁘다. 푸르렀던 수양버들은 어느덧 하나둘 잎은 떨어지고 앙상한 가지만 남기고 낙엽 되어 바람과 함께 뒹굴다 바람 따라 가을 전설 속으로 사라져 갔다.

　승기천의 겨울은 삭풍에 이는 바람 소리와 함께 겨울 철새는 서북쪽에서 찾아와 이곳에서 잠시 쉬어가기도 한다. 눈 내린 승기 천에는 머나먼 여행으로 겨울 철새들이 지친 날개를 잠시 쉬어가며 안식으로 힘을 되찾고 다시 힘찬 날갯짓을 하며 남쪽 하늘로 날아간다. 황량한 콘크리트 삭막한 도시에 사는 사람들도 지친 삶의 무게를 잠시 내려놓고 마음에 위로받고 다시 인생길을 걸어간다.

도심 한가운데 흐르는 승기천의 봄·여름·가을·겨울 그 어느 계절인들 아름답지 않은 계절이 있겠는가? 우리에게 위로와 쉼을 통해 마음에 안식을 누리고 살아갈 힘과 용기를 얻는 곳, 아낌없이 베풀어 주는 어머니의 사랑과 포근하고 따뜻한 품처럼 오늘도 말 없이 유유히 흘러가고 있다.

한국의 아름다운 사계

봄의 서곡

봄비가 내리고
새싹이 움트며
제비꽃과 민들레가
희망의 노래를 부릅니다.

아지랑이 가득한 들판에
달래와 냉이가 속삭이고
뚝배기 된장국이 따뜻한 위로를 건넵니다.

새 학기의 설렘과
정월대보름의 웃음소리,
농부의 마음은 풍요로움을 기다립니다.

여름의 향연

장맛비가 쏟아지고
해바라기와 나팔꽃이
여름의 열정을 펼칩니다.

감자꽃과 옥수수가
햇살 아래 춤을 추며
참외와 수박은 달콤한 맛을 선사합니다.

원두막 아래에서
가족의 정을 나누고
어린아이의 웃음소리가
행복을 더합니다.

가을의 소리

코스모스가 만개하고,
국화의 향기가 가득하며
가을의 서정을 노래합니다.

들녘에는 황금빛 벼가 익어가고
추수의 기쁨이 가득합니다.

학생들은 새로운 시작을 꿈꾸고
어머니의 손길은 따뜻한 온기를 전합니다.

겨울의 정적

하얀 눈이 내리고
겨울밤의 별이 반짝이며
소복소복 쌓이는 설경을 그립니다.

새해의 희망과 설레임
설날의 정겨움이
가슴속에 따스함을 불어넣습니다.

아버지의 자동차
어머니의 자전거
가족의 사랑을 싣고 달립니다.

계절의 아름다움

봄의 아름다움 : 생명의 부활

봄은 잠들었던 대지 위에 새로운 생명에 숨결을 불어넣는 계절입니다. 겨울의 긴 침묵을 깨고, 따뜻한 햇살이 땅을 촉촉이 적시면, 숨어 있던 씨앗들이 하나둘 힘차게 싹을 틔우기 시작합니다. 나무마다 새잎이 돋아나고, 꽃들이 경쟁하듯 화려한 빛깔로 피어나는 모습은 마치 자연이 모든 존재에게 새 생명을 선물하는 듯합니다.

봄의 공기는 향기로 가득 차고, 각양각색의 꽃들이 만발하는 이 계절은 마음까지 환하게 만듭니다. 벚꽃, 개나리, 진달래가 만개하는 모습은 보는 이로 하여금 잊고 있던 꿈과 희망을 다시 꾸게 합니다. 봄비가 내리고 난 후의 싱그러운 풀내음과 흙냄새는 마음을 정화시키며, 모든 것이 새롭게 시작될 수 있다는 믿음을 주는 자연의 선물입니다.

이처럼 봄은 우리에게 재생과 희망의 상징으로 다가와 삶의 모든 순간에 감사함을 느끼게 하고, 매일을 새롭게 시작할 수 있는 용기를 북돋아 줍니다. 봄의 아름다움은 그 자체로 한 편의 시이며, 우리 각자의 삶 속에서 계속되는 사랑의 노래와도 같습니다.

여름의 아름다움: 생명력의 향연

여름은 생명의 풍성함을 축하하는 계절입니다. 태양은 고운 빛을 무한히 내려보내며 대지를 따뜻하게 품어, 광활한 녹색의 들판을 일렁이게 합니다. 이 빛 속에서 모든 생명은 그 어느 때보다 더욱 활기를 띠며 자신만의 색을 뽐냅니다. 해바라기는 해를 향해 고개를 들고, 나팔꽃은 매일 아침 새로운 꽃을 피워내며 여름의 열정을 전합니다.

여름의 밤하늘은 별들이 반짝이는 캔버스와 같아 어둠 속에서도 빛나는 생명의 불꽃을 잊지 않게 합니다. 밤이면 들려오는 풀벌레의 울음소리와 개구리의 합창은 여름밤의 서정을 더욱 깊게 합니다. 갑자기 쏟아지는 소나기는 금세 땅을 적시고 지나가고, 그 뒤를 따라 피어나는 무지개는 눈부신 희망의 메시지를 전달합니다.

이 계절의 아름다움은 또한 우리의 감성을 자극하며, 여름이 주는 선물을 마음껏 즐기라고 속삭입니다. 해변의 모래사장에서 느껴지는 따스한 바람과 시원한 파도 소리는 마음의 안식을 제공하고, 삶의 진정한 행복을 찾아가는 여정에 생기를 불어넣습니다. 여름은 그 자체로 한 편의 감동적인 시이며, 우리 각자의 이야기에 생동감을 더하는 계절입니다.

가을의 아름다움: 성숙과 수확의 축제

가을은 성숙의 계절로, 자연이 한 해 동안의 노력이 결실을 맺는 시기입니다. 황금빛으로 물든 들판은 수확의 기쁨을 알리며, 나무들은 점차 자신의 색을 변화시켜 가며 붉고 노란 단풍으로 숲을 물들입니다. 이러한 풍경은 마치 자연이 화가라면 가을은 그의 걸작이라 할 수 있습니다, 곡식이 익어가는 소리는 대지의 풍요로운 노래를 부릅니다.

가을 하늘은 유난히 푸르고 맑아, 마음을 평화롭게 하고, 선선한 바람이 솔솔 불어오며, 가끔 떨어지는 낙엽 사이로 바스락거리는 소리는 가을의 서정적인 음악을 연주합니다. 이 계절의 공기는 청량하고 상쾌하여, 깊은 호흡만으로도 온전한 쉼을 느낄 수 있습니다.

코스모스와 국화가 만개하는 이 시기, 우리는 자연의 아름다움 속에서 영감을 받고, 삶의 깊이를 더욱 풍부하게 느낍니다. 가을은 또한 반추와 성찰의 시간을 제공합니다. 여름의 열정이 서서히 잦아들면서, 지난 시간을 돌아보고 새로운 계획을 세울 수 있는 여유를 갖게 되며, 삶의 사계절 중 가을처럼, 우리 각자의 경험 속에서 얻은 지혜를 되새기며 앞으로 나아갈 힘을 얻습니다.

가을의 아름다움은 그 자체로 깊은 감동을 주며, 우리의 삶에 성숙과 풍요로움을 불어넣는 시적인 계절입니다. 이러한 가을의 풍경은 우리에게 자연과의 깊은 연결을 느끼게 하고, 인생의 소중한 순간들을 더욱 깊이 즐길 수 있도록 영감을 줍니다.

겨울의 아름다움: 고요와 숙연의 계절

겨울은 자연이 휴식을 취하며 세상이 잠시 멈춘 듯한 고요함을 선사하는 계절입니다. 흰 눈이 소복소복 쌓여 가며, 각각의 눈송이는 자연의 무한한 창조성을 보여줍니다. 이 흰 덮개 아래에서는 모든 소리가 더욱 선명하게 들리며, 겨울의 정적 속에서 우리는 내면의 목소리에 더욱 귀 기울일 수 있습니다.

겨울의 빙하와 서리 덮인 나무들은 마치 은밀한 예술 작품처럼 자태를 뽐내며, 차가운 공기는 숨을 들이켤 때마다 신선함을 느끼게 합니다. 별이 반짝이는 맑은 밤하늘은 겨울의 신비로움을 더욱 돋보이게 하며, 차분하게 빛나는 달빛 아래에서는 모든 것이 숭고하게 느껴집니다.

겨울은 또한 함께하는 따뜻함의 가치를 일깨워줍니다. 차가운 바깥 환경 속에서 가족과 친구들과 보내는 시간은 더욱 소중하게 느껴지며, 함께하는 매 순간이 사랑과 정을 나누는 특별한 기회가 됩니다.

집 안의 온기는 추운 겨울밤을 이겨내는 힘이 되고, 맛있는 음식과 따뜻한 차는 몸과 마음을 녹이며 진정한 행복을 선사합니다.

이렇게 겨울은 그 자체로 깊은 사색과 내면의 성찰을 가능하게 하는 계절입니다. 겨울의 아름다움은 우리의 삶에 고요함과 평화를 가져다주며, 매 순간을 진정으로 소중히 여기고 감사할 것을 가르칩니다.

제 2 부
봄

봄날의 계절 속으로

봄의 속삭임

흙의 향기가 솔솔 풍기는
그대의 발걸음에 봄이 깨어난다.
은은한 새벽안개 사이로
새싹들이 조심스레 고개를 내민다.

하늘을 수놓는 새들의 노래
그리고 그 아래 펼쳐지는
꽃잎들의 축제, 봄의 잔치.
매화와 벚꽃이 만발한 가지에
봄바람이 살포시 입맞춤을 한다.

아이들의 웃음소리가 들려오고
어머니의 따뜻한 손길이
마음을 어루만지며
희망의 메시지를 전한다.

봄비는 대지를 촉촉이 적시고
모든 생명에게 생동감을 불어넣는다.
농부의 손에서 시작된
한 해의 약속, 풍요로운 내일을 위한.

봄의 속삭임 그것은
깨어나는 대지의 약속이자
우리 모두의 마음에 피어나는
사랑과 감사의 꽃이다.

희망의 꽃

정원 한가운데 희망의 꽃이 피어나네
그 향기로운 꽃말은 사랑과 기쁨을 전해.
아침 이슬에 반짝이는 무지갯빛 꽃잎
그 속에서 우리는 삶의 진정한 의미를 발견해.

봄바람에 살랑이는 연둣빛 잎사귀
그들은 마치 춤을 추는 듯 삶의 리듬을 타네.
정원의 모든 생명이 하나 되어 호흡하고
그 조화로운 소리는 마음의 평화를 가져다주네.

정원사의 손길이 닿은 곳마다
생명은 더욱 풍성하게 더욱 아름답게 자라나.
그의 노래는 흙과 물 햇살과 바람에 실려
이 땅의 모든 존재에게 생명의 노래를 불러주네.

희망의 꽃은 저마다의 꿈을 키우고
정원의 이야기는 끝없이 이어져 가네.
우리 모두의 마음속에 심어진 작은 씨앗이
언젠가는 이 세상 모든 곳에 희망의 꽃으로 피어나리.

아침 이슬

새벽의 첫 숨결에 내려앉은
은은한 이슬 한 방울
그것은 밤새워 꿈꾼 희망의 증거이자
오늘을 살아갈 용기의 시작이네.

잠에서 깨어난 잎사귀 위를
가볍게 흘러내리는 이슬
그 작은 물방울 하나하나가
세상의 모든 생명에게 생명을 불어넣네.

아침 햇살에 반짝이는 이슬은
매일 새로운 기적을 약속하고
그 빛나는 순간 속에서 우리는
또 다른 시작을 꿈꾸게 되네.

이슬이 마르고 태양이 높이 떠오를 때
우리는 그 흔적을 따라
끝없는 여정을 계속해 나가리.
아침 이슬처럼 맑고 순수한 마음으로
새로운 시작을 향해 나아가리.

벗꽃의 메아리

벗꽃이 흩날리는 봄날
그 아름다움에 숨이 멎을 듯
마음의 문을 열고
평온의 울림을 듣네.

가지마다 피어난 꽃송이
그들은 조용히 말을 건네
세상의 소란함을 잊게 하고
마음에 평화를 선사하네.

그 메아리는 멀리 퍼져
모든 이의 가슴속에 닿아
잔잔한 물결을 일으키며
삶의 무게를 잠시 내려놓게 하네.

우리는 그 속에서 잠시
자신을 돌아보고
진정한 행복이 무엇인지
다시금 생각하게 되네.

벚꽃의 메아리야
너는 평온의 울림이 되어
세상 모든 이의 마음에
사랑과 위로를 전해다오.

해돋이의 세레나데

새벽의 조용한 숨결 속에서
해돋이가 부드러운 빛을 펼치네.
그 빛은 하루의 첫 벗
온 세상에 따스함을 안겨주는 선율이 되어.

동트는 하늘의 캔버스에
물들어가는 오색 찬란한 광경.
그것은 마치 삶의 시작을 알리는
희망의 세레나데와 같아.

이 아름다운 순간에
모든 생명이 깨어나 춤을 추고
새들은 하늘을 가로지르며
하루의 첫인사를 전해.

우리의 마음속에도
새로운 꿈과 희망이 싹트고
해돋이의 세레나데는
끝없는 여정의 동반자가 되어주네.

그러니 이 아침을 맞이하여
하루의 첫 벗과 함께
소중한 시작을 여는 것을 기뻐하며
평온한 마음으로 새날을 시작하자.

춘분

봄날의 균형을 이루는 춘분에
낮과 밤이 손을 맞잡네.
태양과 달이 같은 길이로 머무르며
자연의 조화로운 무대를 선보이네.

봄꽃 사이로 부는 바람에
생명의 숨결이 느껴지고
새들의 노래가 어우러져
세상은 새로운 시작을 알리네.

사람들은 이 시간을 맞이하여
삶과 꿈의 균형을 찾으려 하고
춘분의 메시지를 가슴에 새기며
평화와 희망을 노래하네.

이제 낮과 밤이 만나는 이때
우리 모두는 자연의 리듬을 따라
조화롭게 살아가는 법을 배우며
봄의 축복을 나누어 가네.

새싹의 춤

숲속 깊은 곳 새싹이 잠에서 깨어나
햇살을 향해 기지개를 켜네.
그 춤사위는 숲의 젊음을 노래하고
생명의 리듬을 우리에게 전해주네.

잎새마다 물방울이 반짝이며
그들은 봄의 멜로디에 맞춰 춤을 추네.
숲은 젊은 영혼으로 가득 차고
그 안에서 모든 생명이 하나 되네.

새싹들은 땅속 깊은 곳에서 힘을 모으고
그 힘찬 기운은 숲 전체에 생기를 불어넣네.
이 춤은 계절의 변화를 맞이하는 축제이자
자연의 아름다움을 기념하는 행진곡이네.

이제 새싹의 춤을 보며 우리도 함께
숲의 젊음을 느끼며 삶을 축하하자.
그리고 그 춤이 우리 마음속에도 피어나
희망과 기쁨으로 가득 찬 하루를 시작하자.

바람에 실린 꽃잎

바람이 불어오고 꽃잎이 날리네
그 여정은 마치 인생의 축소판.
한 장 한 장 이야기를 품은 채
세상 곳곳에 색다른 흔적을 남기네.

그 꽃잎은 우리의 꿈을 닮아
때로는 높이 때로는 멀리 날아가.
그리고 그 끝에서 만나는
새로운 풍경 새로운 마음.

사랑의 순간 슬픔의 순간
모든 것이 꽃잎에 스며들고
그것은 우리에게 소중한 기억을 선물하네.
바람에 실린 꽃잎처럼 우리도 여행을 하네.

이 여정 속에서 우리는 배우고
서로를 위로하며 함께 웃으며
인생이라는 꽃밭을 가꾸어 가네.
바람에 실린 꽃잎이여 너의 여정이 아름답도다.

4월의 포옹

4월의 햇살이 부드럽게 내리쬐고
그 포옹은 마음 깊은 곳에 따스함을 전해.
꽃들은 활짝 피어나며
세상에 새로운 생명의 기쁨을 알리네.

가벼운 봄비가 대지를 적시고
그 물방울마다 생명이 움트는 소리.
내면의 따스함이 이어져
마음속에 평화와 위안을 가져다주네.

사람들은 이 시간을 맞이하여
삶의 소중함을 다시금 깨닫고
4월의 포옹 속에서
진정한 자신을 발견하게 되네.

그러니 이 아름다운 계절에
우리 모두는 내면의 따스함을 느끼며
사랑과 감사의 마음을 나누어
행복한 순간들을 함께 만들어 가자.

초원의 숨결

넓은 초원 위를 가득 메운
푸르고 싱그러운 풀잎 사이로
살랑이는 바람이 숨결을 전하네.

그곳에는 자유가 있고
그곳에는 생명의 노래가 울려 퍼지네.
햇살은 땅을 따스하게 안고
푸르름의 향기는 마음을 채우네.

하늘을 나는 새들의 춤은
초원의 리듬을 따라
그들만의 이야기를 하늘에 그리네.
평화로운 그림 자연의 선율이여.

이 초원의 숨결 속에서
우리는 진정한 쉼을 발견하고
푸르름의 향기는 우리의 영혼을 일깨우네.
자연과 하나 되는 순간 그것이 바로 삶의 축복이리.

빗방울 왈츠

하늘에서 내려오는 빗방울 하나하나
그것은 마치 왈츠를 추는 듯
세상의 모든 소음을 잠재우고
하늘의 선율을 연주하네.

빗방울은 지붕 위를 톡톡 두드리며
그 울림은 마음의 고요함을 불러일으키고
잔잔한 물결은 생각을 멀리 데려가
평화로운 순간을 선물하네.

이 왈츠에 맞춰 춤을 추는 나뭇잎
그리고 물웅덩이에 비친 하늘
모두가 이 노래에 맞춰 조화를 이루며
자연의 아름다운 교향곡을 완성하네.

빗방울 왈츠야, 너는 우리에게
잊혀진 평온을 다시 상기시키고
하늘의 선율은 영원히 우리 곁에
소중한 기억으로 남아 있으리.

농부의 자부심

흙 속 깊이 뿌려진 씨앗 하나
농부의 손길이 닿는 그곳에서
생명의 기적이 조용히 시작되네.

아침 이슬과 함께 눈을 뜨고
저녁 노을에 하루를 마감하며
그는 대지와 대화를 나누네.

희망을 심고 땀으로 물을 주며
그의 자부심은 푸른 싹으로 돋아나.
내일의 약속 풍요로운 수확을 꿈꾸며
그는 끊임없이 노력의 밭을 가꾸네.

곡식이 무르익는 그날까지
농부는 자연의 리듬에 맞춰 춤을 추고
그의 씨앗은 내일을 향한 희망의 메시지
세상에 퍼져나가네.

농부의 자부심이여, 너는 우리에게
인내와 헌신의 가치를 가르쳐주고
내일의 씨앗이여, 너는 우리에게
끝없는 가능성의 꿈을 보여주네.

민들레 꿈

민들레 홀씨 하나가 바람에 실려
그 작은 몸짓에 큰 꿈을 담아 흩날리네.
평범한 들판을 벗어나
먼 곳으로 여행을 떠나는 소망을 품고서.

그것은 자유를 찾아가는 여정이고
세상 어디든 자신의 자리를 만들 수 있는 희망.
민들레 꿈은 우리 모두의 마음속에 있어
소망이라는 이름으로 피어나는 꽃이 되네.

흩날리는 홀씨마다 이야기가 있고
그 이야기는 끝없이 이어져 가네.
민들레 꿈은 우리에게 말을 걸어
희망의 메시지를 조용히 전해주네.

민들레야, 너의 꿈을 따라
우리도 소망을 품고 살아가자.
그리고 그 소망이 흩날리는 곳마다
새로운 시작이 피어나길 바라자.

라일락 속삭임

부드러운 봄바람에 실려오는
라일락의 향기 그 속삭임에
마음의 문이 열리고 추억이 살아나네.

그 향기는 오래된 사진첩을 넘기는 듯
행복했던 순간들을 하나씩 되새기게 하고
그 속에서 우리는 잊혀진 웃음을 찾아내네.

라일락 꽃 아래에서 나눴던 이야기들
그리고 그늘 아래에서 쉬었던 오후
모든 것이 이제는 소중한 기억으로 남아
마음속 깊은 곳에 영원히 자리 잡네.

이제 라일락의 속삭임을 들으며
우리는 다시 그때를 떠올리고
추억의 향기는 시간을 거슬러
옛사랑과 우정을 다시 불러일으키네.

둥지 속 이야기

나뭇가지 끝에 조심스레 안긴 둥지
그 속에서 새 생명의 숨결이 느껴지네.
부드러운 깃털과 따스한 포옹 속에
새끼들은 세상의 빛을 처음 마주하네.

아침 햇살이 둥지를 비추고
새들의 지저귐이 사랑의 노래를 불러
가지 위의 작은 무대에서
생명의 드라마가 조용히 펼쳐지네.

어미 새는 먹이를 구하러 날아가고
아버지 새는 둥지를 지키며 노래하네.
그들의 사랑과 헌신이 모여
새 생명에게 희망의 날개를 달아주네.

이 둥지 속 이야기는 계속되어
가지에서의 새 생명은 성장의 꿈을 꾸고
그들이 하늘을 향해 날아오를 때
세상은 그 아름다움에 감탄하네.

나비의 발레

무대 위를 가볍게 떠도는 나비
그의 날개는 색채의 바다를 만들어내네.
각기 다른 무늬와 색으로
그는 자연의 화가, 공중의 무용수.

그 춤은 바람과 함께 속삭이며
꽃잎에서 꽃잎으로 이야기를 전해.
그리고 그 색채는 마음을 사로잡아
눈부신 아름다움으로 세상을 채우네.

나비의 발레는 계절의 변화를 노래하고
그의 날개는 시간의 흐름을 따라 춤추네.
그리고 우리는 그 모습에 매혹되어
삶의 아름다움을 다시금 깨닫게 되네.

이제 나비의 발레를 보며
우리도 삶의 색채를 찾아 나서자.
그리고 그 날개처럼 가볍게
우리의 꿈을 향해 날아오르자.

봄물의 메아리

봄의 기운이 강물에 스며들 때
그 물결은 시간을 초월한 노래를 부르네.
흐르는 물은 생명의 멜로디를 타고
계절의 변화를 우리에게 속삭이네.

강가에 핀 꽃들은 봄물을 마시고
그들의 색은 더욱 선명해지며
강의 노래는 그 아름다움을 찬양하고
봄의 메아리는 푸른 하늘에 닿아 퍼지네.

물가의 돌과 자갈은 조용히 듣고 있고
강물은 그들에게 이야기를 전해주네.
봄물의 메아리는 시간의 강을 따라
영원히 기억될 추억을 만들어 가네.

이제 우리도 강의 노래에 귀 기울이며
자연의 아름다운 선율에 마음을 맡기자.
봄물의 메아리가 우리의 영혼을 적시고
평화와 희망의 노래로 삶을 채우자.

버드나무 아래에서

버드나무 아래 조용히 자리 잡고
그늘에 숨은 이야기를 들어보네.
잎사귀들은 바람에 속삭이며
오래된 전설을 하나둘 풀어내네.

그 아래에서 사랑도 꽃 피고
이별의 눈물도 말라가네.
버드나무는 모든 것을 품으며
시간의 증인으로 서 있네.

가지마다 흔들리는 녹색의 물결
그것은 마음의 파동을 닮았으니
버드나무 아래에서 우리는 깊은 생각에 잠기고
삶의 의미를 다시금 찾아내네.

이곳은 펼쳐지는 이야기의 무대
버드나무는 그 모든 것을 안아주네.
그늘 아래에서 우리는 잠시 쉬어가며
자연과 함께하는 평화를 누리네.

봄바람에 실려온 사랑

봄바람이 불어오면
마음도 그 바람처럼 춤추네.
꽃잎처럼 가볍게 찾아온 사랑
싹 틔우듯 내 안에 깊숙이 뿌리내리고

길가에 피어난 풀꽃을 보며
나도 모르게 피어나는 미소, 그 마법 같은 기쁨.
사랑이란 봄의 꽃처럼 아름답게 피어나
세상을 새롭게 채색하는 화가의 붓질 같아.

그대 손길이 스칠 때마다
마음의 겨울이 녹아내리고
새 생명이 움트듯 희망이 싹트기 시작해.
봄바람에 사랑을 싣고
세상이 모두 축복하는 듯 속삭여

오 이 봄바람 같은 사랑이여
항상 나의 곁을 부드럽게 감싸 안아주길.

너와 함께라면 언제나 봄날처럼
따뜻하고 향기롭게 빛나리.

이 바람이 사라지지 않기를
이 사랑이 봄날처럼 피어나기를.
변치 않는 마음으로 영원히 사랑하리라.

산들바람

산들바람이 속삭이는 고요한 언덕 위
연이 하늘을 향해 우아하게 춤을 추네.
그 비행은 자유의 상징, 마음의 날개를 닮아
높이 높이 구름과 나란히 떠도는 꿈을 꾸네.

푸른 하늘을 배경 삼아 연은 흔들리고
그 모습은 산 아래 아이들의 웃음소리와 어우러져.
산들바람의 힘을 빌려 연은 더 높이 올라
세상의 걱정들을 잠시 잊게 하는 마법을 부리네.

연의 비행은 산의 숨결을 따라
자연과 하나 되는 순간을 선사하고
그리고 우리는 그 모습을 바라보며
평온함과 기쁨의 시간을 함께 나누네.

이제 산들바람과 연의 비행을 통해
우리는 삶의 소중한 순간들을 기억하자.
그리고 그 자유로운 영혼처럼
우리의 꿈도 높고 멀리 날아가길 바라자.

황금의 들판

황금빛으로 물든 들판 위
보리가 그 속성을 드러내네.
햇살에 반짝이는 이삭들은
풍요로움의 메시지를 전하고
생명의 끈을 이어가는 힘을 보여주네.

그 무수한 알갱이들은
대지의 사랑을 받아 자라나
우리에게 영양과 희망을 주는
자연의 선물이 되어주네.

보리의 속성은 단순함에 있지 않아
그것은 생명을 키우는 농부의 땀과
계절의 순환 속에서 찾아낸 지혜
그리고 끊임없는 성장의 의지를 담고 있지.

황금의 들판이여, 너는 우리에게
삶의 기쁨과 가치를 가르쳐주고
보리의 속성이여, 너는 우리에게
끝없는 가능성의 꿈을 보여주네.

어머니의 손길

어머니의 손길이 닿는 순간
세상의 모든 사랑이 담겨 있네.
그 손길 하나하나에는
수많은 이야기와 기도가 스며들고
그 따스함은 시간을 넘어 우리를 감싸 안네.

어린 시절 그 손길이 주는 위로는
가슴 깊은 곳에 영원히 남아
삶의 풍파 속에서도
그 사랑의 이불은 끊임없이 이어지네.

어머니의 손길은 가장 부드러운 실크보다도
더욱 소중하고 가장 강한 갑옷보다도
더욱 든든한 힘이 되어주네.

그 사랑의 이불로 우리는 자라고
그 손길로 인해 우리는 배우며
어머니의 사랑은
세상에서 가장 아름다운 노래가 되네.

아이들의 웃음

아이들의 웃음소리가 퍼져나가고
그 기쁨은 마음을 환하게 밝혀주네.
뛰노는 발걸음마다 즐거움이 넘치고
그들의 웃음은 세상에 희망을 전하네.

공원의 미끄럼틀 위 그네의 하늘 높이
아이들은 자유를 만끽하며 웃음꽃을 피우고
그 소리는 어른들의 가슴에도 메아리쳐
잊혀진 어린 시절의 추억을 되살려주네.

아이들의 웃음은 순수한 기쁨의 소리
그것은 세상의 모든 언어보다 더 아름다워
그들의 웃음 한 조각에도 사랑이 담겨 있어
그 소리는 우리 모두에게 행복을 선물하네.

이제 우리도 그 웃음에 귀 기울이며
아이들처럼 순수한 기쁨을 느껴보자.
그들의 웃음소리가 우리의 마음을 채우고
삶에 대한 감사함으로 가득 차게 하자.

별빛 자장가

밤하늘의 별빛이
부드럽게 내려와
잠든 대지를 감싸 안고
은은한 빛으로 쓰다듬네.

그 빛은 시간을 초월하여
기억의 강을 건너
마음속 깊은 곳에
영원히 머무르리.

사랑하는 이의 속삭임처럼
조용히 그리고 다정하게
어둠을 밝히는
별빛 자장가의 애무.

우리의 희망과 슬픔을
담아내는 이 밤
모든 것이 시작되고 끝나는
순간의 품에서.

이 별빛 자장가가
당신의 꿈길을 밝히고
평온한 밤을 선사하기를
별들의 축복으로.

황혼의 캔버스

황혼이 그린 캔버스 위에
하늘은 자신의 색을 펼쳐내네.
붉은빛과 푸른빛이 어우러져
저녁의 평화가 그려지는 순간.

그림자와 빛의 무용이 시작되고
하늘은 끝없는 이야기를 들려주네.
황혼의 캔버스는 시간의 경계를 흐리며
하루의 마지막 인사를 건네는 듯.

저 멀리 산 너머로 사라지는 태양
그 뒤를 이어 밤의 첫 별이 반짝이고
하늘은 점점 더 깊은 색으로 채워지며
우리의 마음도 함께 어둠을 밝히네.

황혼의 캔버스야, 너는 우리에게
잊을 수 없는 추억을 선물하고
하늘을 그리는 너의 붓질은
영원히 기억될 아름다운 시가 되네.

제 3 부
여름

그 여름의 기억: 태양 아래서

태양 아래서의 장미

여름의 태양 아래 빛나는 장미여
너의 색은 불타오르는 열정을 담아
그윽한 향기로 가득 찬 정원을 수놓네.

잎사귀 사이로 비추는 햇살이
너의 잎을 어루만지며 속삭이는 듯
"너는 이 여름의 주인공"이라고.

장미여, 너의 아름다움은 시간을 초월하여
사랑하는 이들의 마음속에 영원히 남을 거야.
너는 그들의 기쁨, 그들의 슬픔을 함께해.

태양이 지고 별이 빛나는 밤에도
너의 존재는 어둠 속에서도 빛나
사람들의 꿈과 사랑의 상징으로서.

그러니 장미여, 자유롭게 피어나렴
너의 모든 순간이 이 여름을 더욱 빛나게 할 테니.
태양 아래서 너와 함께한 이 여름을 기억할 거야.

나팔꽃의 속삭임

여름밤 나팔꽃이 속삭이네
은은한 달빛 아래 조용히
그 미묘한 향기로 가득 찬 정원에서.

그녀의 꽃잎은 부드럽게 펼쳐져
밤의 고요함 속에서도 빛나는 별처럼
사랑의 말을 전하려 속삭이는 듯.

나팔꽃이여, 너의 이야기는
우리의 마음속 깊은 곳에 닿아
잔잔한 감동을 주며 영혼을 울리네.

너는 여름날의 순수한 사랑을 상징해
그리움과 기다림의 노래를 부르며
모든 이의 마음에 공감을 불러일으키지.

그러니 나팔꽃이여, 계속해서 속삭여다오.
너의 부드러운 목소리가
이 여름밤을 더욱 특별하게 만들어 줄 테니.

능소화의 여름 노래

여름 바람에 흔들리는 능소화여
너는 뜨거운 태양을 맞으며
그윽한 향기를 퍼뜨리네.

푸른 잎사귀 사이로
은은한 너의 색이 빛나고
마음을 사로잡는 너의 모습에
시인의 마음도 녹아내리네.

너는 여름날의 소박한 행복
가만히 바라보는 것만으로도
마음이 평온해지는 꽃.

능소화여, 너의 노래는
여름의 열기 속에서도
우리에게 시원한 위안을 줘.

너의 존재는 한 폭의 그림처럼
여름의 추억을 아름답게 채색하며
후대에 길이길이 남을 거야.

그러니 능소화여 자유롭게 피어나렴
너의 노래가 이 여름을 더욱 특별하게 할 테니.
태양 아래서 너와 함께한 이 여름을 기억할 거야.

바다의 푸른 꿈

푸른 바다가 속삭이는 꿈
그 깊은 곳에 숨겨진 이야기들.
파도가 끊임없이 이어지는 노래
하늘과 맞닿은 수평선 너머로.

바다는 잔잔한 날에는 평화로워
태풍의 날에는 거친 성격을 드러내.
그러나 항상 그 속에는
삶의 비밀과 자연의 신비가 담겨 있지.

어린 시절 모래성을 쌓던 해변
첫사랑의 추억이 서린 낡은 등대.
모든 것이 바다와 함께 어우러져
시간을 초월한 꿈을 꾸게 해.

바다여, 너의 푸른 꿈을 꿀 때마다
내 마음도 넓고 깊어지는 듯해.
너는 내 영혼을 자유롭게 하고
내 생각을 무한한 곳으로 이끌어.

그러니 바다여, 계속 꿈을 꿔다오.
너의 푸른 꿈이 우리 모두에게
희망과 영감을 주기를.

뭉게구름의 여정

하늘 위를 떠도는 뭉게구름이어
너는 바람의 지휘에 따라
세상 구석구석을 여행하는 구름.

너의 모양은 끊임없이 변해가고
어린아이들의 상상력을 자극해.
그들은 너를 보며 꿈을 꾸지
용이 되기도
성이 되기도 하는 너를.

너는 때로는 부드러운 이불처럼
우리를 포근하게 감싸주고
때로는 거대한 산처럼
우리의 시야를 가득 채우네.

너의 여정은 끝이 없어
항상 새로운 모험을 시작해.
너는 우리에게 자유를 상기시켜
우리의 마음을 넓은 하늘로 이끌어.

그러니 뭉게구름이여, 계속해서 떠돌아다니렴.
너의 여정이 우리 모두에게
평화와 희망의 메시지를 전해주길.

원두막의 여유

여름날 원두막에 앉아서
햇살이 살포시 내리쬐는 그곳에서
시간은 천천히 흘러가고
마음은 어느새 평온해지네.

바람이 나뭇잎을 스치며
그 소리가 마치 음악처럼 들려오고
풀벌레의 잔잔한 합창이
이 여름의 정취를 더해주네.

원두막 아래 나는 깊은 생각에 잠기고
자연의 소리에 귀 기울이며
삶의 소중한 순간들을
하나하나 되새기게 되지.

여유로운 오후 한가로이 책장을 넘기며
향긋한 차 한 잔의 여유를 즐기고
눈앞에 펼쳐진 푸른 자연을 바라보니
마음 한구석이 따스해지는 걸 느껴.

이 원두막에서 나는 나 자신을 만나고
세상의 번잡함을 잊으며
여름의 소박한 행복을
가득 품게 되네.

참외밭의 햇살

여름의 초록이 짙어가는 참외밭
햇살이 내려앉아 부드럽게 감싸네.
참외의 달콤한 향기가 가득하고
풍성한 수확의 약속을 속삭이지.

금빛으로 물든 이른 아침
참외밭은 생명의 기운으로 충만해.
햇살 한 줄기가 참외 위로 스며들어
그 맛을 더욱 달콤하게 숙성시키네.

참외밭의 햇살은 여름의 선물
흙과 물 그리고 빛의 마법으로
자연의 손길이 만들어낸 작품이지.

그늘 아래 잠시 쉬어가는 이에게
참외밭의 햇살은 잠시의 여유를 주고
삶의 단맛을 다시금 상기시키네.

그러니 참외밭의 햇살아
계속해서 이 땅을 비추어다오.
너의 따스함이 우리의 마음에도
풍요로운 여름을 선사할 테니.

수박 한 조각의 시원함

여름날의 뜨거운 햇살 아래
수박 한 조각에 담긴 시원함이여
너는 이열치열의 상큼한 위로.

초록 껍질을 벗기고 드러난
진홍빛 속살이 입안 가득 퍼지며
잠시나마 무더위를 잊게 해주네.

아이들의 웃음소리와 함께
흘러내리는 수박즙의 달콤함
그 속에서 여름의 정취를 느껴.

수박 한 조각의 시원함이여
너는 여름의 작은 행복
그리고 잊을 수 없는 계절의 맛.

그러니 계속해서 우리에게
너의 시원한 맛을 선사해다오
여름날의 추억을 만들어가는 너와 함께.

해수욕장의 모래사장

여름의 열기 속에 빛나는 해수욕장
모래사장 위를 걷는 발걸음마다
소리 없이 파도가 춤을 추네.

아이들의 웃음소리   즐거운 외침
그리고 모래성을 쌓는 손길들.
여름의 기억은 여기 모래사장에
한가득 새겨지고 마음에 담기네.

바다의 물결은 끝없이 이어져
모래사장을 부드럽게 쓸어내리고
태양은 금빛 물결을 반짝이게 하네.

해수욕장의 모래사장에서
우리는 잠시나마 일상을 잊고
여름의 순간을 온전히 느끼며
행복한 추억을 만들어가네.

피서지의 추억

여름의 뜨거운 태양 아래
피서지의 바람이 불어오네.
파도 소리, 아이들의 웃음
그리고 모래사장의 발자국들.

우리는 잠시 일상을 벗어나
이곳에서 자유를 만끽해.
해변의 여유, 산의 고요함
계곡의 시원함에 취해.

바다에 뛰어들 때의 그 시원함
산에서 내려다볼 때의 그 아름다움
계곡물에 발을 담그며 느끼는
자연의 선물 같은 평화.

피서지에서의 추억은
마음속 깊이 새겨져
시간이 흘러도 잊혀지지 않는
여름의 소중한 보물이 되네.

그러니 이 추억을 간직하며
다시 일상으로 돌아가도
우리의 마음 한켠에는
항상 여름의 햇살이 남아 있으리.

태양의 하루

새벽, 부드러운 빛으로 세상을 깨우며
태양은 새로운 하루의 시작을 알린다.
그의 따스한 손길이 대지를 어루만지고
잠든 모든 생명에게 에너지를 불어넣네.

오전, 태양은 점점 높이 올라가며
푸른 하늘을 밝고 화려하게 수놓는다.
그의 빛은 꽃들을 피우고
나무들로 하여금 더욱 푸르게 자라게 하네.

정오, 태양은 그 절정에 이르러
세상을 가득 채우는 빛의 향연을 펼친다.
그의 열기는 생명의 순환을 재촉하고
우리에게 활기와 열정을 선사하네.

오후, 태양은 서서히 기울기 시작하며
그의 긴 그림자가 이야기를 들려준다.
하루의 노고를 마치고 돌아가는 이들에게
그는 따뜻한 위로와 평안을 주네.

저녁, 태양은 지평선 너머로 사라지며
그의 마지막 빛이 하늘을 붉게 물들인다.
그는 오늘의 마지막 인사를 건네고
내일을 위해 잠시 눈을 감는다.

태양의 하루는 끝없는 순환의 연속
그는 우리에게 시간과 계절의 의미를 가르치네.
그러니 태양이여, 내일 다시 떠오를 때까지
우리의 꿈과 희망을 비추어주길.

계곡의 속삭임

산등성이를 타고 내려오는 계곡물
그 소리는 마치 오래된 이야기를 들려주듯
소곤소곤 자연의 언어로 속삭이네.

투명한 물결 위를 뛰노는 햇살
돌과 돌 사이를 스며드는 물소리
계곡의 속삭임은 여름의 시를 쓰지.

여기저기서 들려오는 물소리는
마음을 정화시키는 선율을 연주하고
잔잔한 물결은 평온한 마음을 선물해.

계곡의 속삭임이여 계속해서 우리에게
자연의 아름다운 노래를 들려다오.
너의 맑은 음성이 이 여름을 더욱 풍요롭게 할 테니.

산의 정기

고요한 산중에 서서
나무와 바람 그리고 흙이 만나는 곳.
산의 정기가 솟아오르네
생명의 숨결처럼 영혼을 채우며.

푸른 나뭇잎 사이로 스며드는 햇살
그리고 새들의 노래가 어우러져
자연의 조화로운 교향곡을 연주해.

산의 정기는 마음을 정화시키고
몸과 마음에 쌓인 피로를 씻어내며
우리에게 진정한 휴식을 선사하네.

그러니 산이여, 계속해서 너의 정기를 뿜어내렴.
너의 힘이 우리 모두에게
평온과 강인함을 주기를.

하지의 시작

여름의 문턱에 서서
하지가 우리에게 속삭이네.
긴 낮과 짧은 밤의 교차
자연의 리듬이 새로운 소리를 만들어.

햇살은 더욱 강렬해지고
그림자는 조금씩 길어만 가네.
하지의 시작과 함께
모든 생명은 에너지를 충전해.

곡식은 태양의 힘을 받아
금빛으로 서서히 익어가고
나무와 꽃들은 더욱 푸르러져
여름의 절정을 준비하네.

하지의 시작이여
너는 한 해 중 가장 긴 날을 선사하며
우리에게 풍성한 여름을 약속해.

초복의 더위

여름의 문턱을 넘어서며
초복의 더위가 찾아오네.
태양은 불볕처럼 내리쬐고
대지는 그 열기를 그대로 품어.

사람들은 그늘을 찾아 헤매고
부채질로 더위를 쫓으려 애쓰네.
초복의 날 삼계탕 한 그릇에
여름을 이겨낼 힘을 얻으려 하지.

그러나 초복의 더위 속에서도
작은 바람 한 줄기가 불어오면
마음 한켠이 시원해지는 걸 느끼네.

초복의 더위여, 너는 여름의 시작을 알리며
우리에게 더위를 이겨낼 용기를 주는구나.

중복의 기다림

여름의 한가운데 서서
중복의 기다림이 시작되네.
무더위 속에서도 희망의 끈을 놓지 않고
시원한 바람을 기다리는 마음.

태양은 여전히 강렬하게 내리쬐고
그늘마다 사람들의 안식처가 되어주네.
중복의 날 보양식을 찾는 이들의 발걸음이
여름의 더위와 싸우는 힘을 더해주지.

그러나 중복의 기다림 속에서도
소나기가 내리고 나면 느껴지는
그 땅의 냄새와 촉촉한 공기가
잠시나마 더위를 잊게 해주네.

중복의 기다림이여, 너는 여름의 중심을 지나며
우리에게 인내와 끈기를 가르치는구나.

말복의 소나기

여름의 마지막 복날 말복에
소나기가 내려와 세상을 적시네.
무더위를 잠시 잊게 해주는
시원한 빗방울의 축복이여.

흙냄새가 가득한 공기 속으로
소나기는 생명의 노래를 부르고
잎새들은 빗물을 맞으며
더욱 푸르게 빛나는 걸 보네.

말복의 소나기는 여름의 마무리를 알리며
곧 다가올 가을의 소식을 전해주지.
빗속에서도 피어나는 꽃처럼
우리의 삶도 계속해서 피어나길 바래.

그러니 말복의 소나기여
너의 잠깐의 방문이
우리에게 새로운 시작을 알리는
소중한 신호가 되어주길.

삼계탕의 온기

여름날의 무더위 속에서
삼계탕 한 그릇의 온기가
우리의 몸과 마음을 녹여주네.

닭 한 마리가 푹 고아져
인삼과 대추, 마늘의 향이 어우러져
영양 가득한 국물이 생명력을 불어넣어.

삼계탕의 온기는 여름의 정취
건강을 지키는 우리의 전통
더위 속에서도 활력을 찾게 해주는
한국인의 지혜로운 습관이지.

그러니 삼계탕의 온기여
너의 따뜻함이 우리에게
여름을 이겨낼 힘을 주길.

얼음 위의 팥빙수

여름날의 태양 아래
얼음 위에 쌓인 팥빙수 한 그릇.
붉은 팥과 푸른 민트 잎이 어우러져
시원한 달콤함을 선사하네.

빙수 속에 숨은 다양한 맛들
젤리와 과일 그리고 우유의 부드러움.
한 숟가락의 청량함이 입안 가득 퍼지며
더위를 잊게 하는 마법 같아.

얼음 위의 팥빙수여
너는 여름의 작은 기쁨
그리고 더위 속에서 찾는
시원한 위안이 되어주네.

그러니 계속해서 우리에게
너의 차가운 온기를 선사해다오
여름날의 추억을 만들어가는 너와 함께.

냉면 한 그릇의 여름

여름의 한복판, 태양이 작열할 때
냉면 한 그릇의 차가운 위로.
얼음 동동 국물 속에 빠져드는
메밀의 향기와 함께하는 여름의 노래.

육수의 깊은 맛이 입안을 감돌고
고명으로 올라간 오이와 배의 싱그러움.
한 입 베어 물면 여름의 열기가 사라지고
시원한 바람이 불어오는 듯한 착각에 빠져.

냉면 한 그릇의 여름이여
너는 무더위 속 작은 휴식
그리고 여름을 즐기는 우리의 방식.

에어컨 바람과 함께

무더위가 기승을 부리는 여름날
에어컨 바람이 솔솔 불어오네.
실내를 가득 메운 차가운 숨결
그것은 여름의 오아시스 같아.

창밖은 태양이 작열하지만
여기 안은 다른 세상이 펼쳐져.
에어컨 바람이 가져다주는
한 줄기의 시원함에 감사해.

현대의 기술이 선사하는 선물
우리를 더위로부터 구해주는
이 작은 기계의 마법에
잠시나마 평화를 느끼네.

에어컨 바람과 함께하는 여름
그것은 더위를 잊는 작은 행복
그리고 현대 생활의 달콤한 위안.

밀짚모자의 그늘

여름날의 햇볕이 쨍쨍할 때
밀짚모자의 그늘은 참으로 고마워.
그 아래에서 느껴지는 시원함
그것은 마치 작은 나무 그늘 같아.

밀짚모자의 그늘 아래서
우리는 잠시 휴식을 취하고
세상의 소란함을 잊으며
여름의 순간을 즐기네.

그늘 속에서 바라보는 세상은
더욱 밝고 아름답게 보여
밀짚모자 하나로 충분한
여름날의 작은 행복이지.

그러니 밀짚모자의 그늘아
계속해서 우리에게
너의 시원한 그늘을 제공해다오
여름날의 햇볕을 부드럽게 막아주며.

어촌 바닷가의 쉼

바다가 만들어낸 조용한 어촌
파도 소리만이 시간을 말해주네.
바닷가의 작은 집 앞
배들이 출렁이는 풍경 속에서 쉼을 얻어.

망망대해를 바라보며
소금기 가득한 바람이 얼굴을 스치고
갈매기의 울음소리가
이곳의 여유를 더욱 깊게 해.

어부들의 거친 손길이 닿은 그물과
바다의 선물을 담은 바구니들
이 모든 것이 어우러져
어촌 바닷가의 쉼을 완성시키네.

여기서는 마음이 바다처럼 넓어지고
생각이 파도처럼 자유로워져
어촌 바닷가의 쉼은
삶의 소중한 순간들을 되새기게 해.

농부의 땀과 푸른 들판

아침 이슬과 함께 시작되는 하루
농부의 이마에 맺힌 땀방울들.
그것은 흙과의 약속이자
푸른 들판의 생명을 키우는 증표.

푸르른 들판은 농부의 노래로 가득하고
곡식들은 그 노래에 맞춰 자라나네.
햇살과 바람 그리고 물이 만나
풍요로운 내일을 준비하는 곳.

농부의 땀은 흙과의 대화
그리고 들판은 그 대화의 캔버스.
곡식이 익어가는 소리는
자연과 인간의 조화로운 합창.

그러니 농부의 땀과 푸른 들판이여
계속해서 이 땅에 생명을 불어넣어다오.
너희의 교감이 우리에게
풍성한 계절을 선사할 테니.

여름 강가의 별빛

여름밤 강가에 앉아서
별들이 수놓은 하늘을 바라보네.
은하수가 흐르는 듯한 착각에 빠져
별빛이 내리는 강물에 마음을 씻어.

별 하나, 별 둘, 셀 수 없이 많은
반짝임들이 강물에 비치어
여름밤의 강가는 더욱 신비로워지고
별빛 아래에서 모든 걱정이 사라지네.

강바람이 부드럽게 불어오고
잔잔한 물결이 별빛과 어우러져
여름 강가의 별빛은
영원한 평화를 약속하는 듯해.

그러니 여름밤의 별빛이여
계속해서 우리의 밤을 밝혀다오.
너의 빛이 우리에게
평온한 꿈과 희망을 주기를.

제 4 부
가을

가을의 속삭임: 낙엽이 내려앉을 때

코스모스와 함께하는 가을

가을 바람에 실려오는
코스모스의 춤사위
하늘하늘 가녀린 손길로
세상을 수놓는다.

붉은 태양 아래
길가에 흐드러진
코스모스의 물결
가을의 서정을 노래한다.

풍요로운 수확의 계절
농부의 땀방울마다
기쁨이 스며들고
흙 내음 가득한 들녘은
황금빛으로 물든다.

코스모스 사이를 거닐며
불어오는 바람에
마음을 열고
잠시 세상의 소란을 잊는다.

가을 하늘 높고 푸르러
코스모스의 색은 더욱 선명하고
그윽한 향기에 취해
사랑의 기억을 되새긴다.

가을이여, 머무르소서
코스모스와 함께
영원히 노래할 수 있게.

국화꽃 사이로

가을이 오면 국화꽃 사이로
길을 잃고 싶어진다.
향기로운 국화의 바다에 빠져
시간의 흐름을 잊는다.

흰 국화, 노란 국화, 붉은 국화
각기 다른 색으로
가을을 수놓는 화가들
그들의 붓끝에서 피어나는
생명의 연속이다.

한 송이 국화꽃을 들고
조용히 속삭이는 듯
가을의 노래가 시작된다.
그 속에서 나는
잠시나마 평온을 찾는다.

국화꽃 사이로 걷는 길
마음을 정화시키는 순례.
각자의 삶의 무게를 내려놓고
가을의 품에 안긴다.

그곳에서 나는
가을의 소리를 듣는다.
국화꽃 사이로 흐르는 바람의 노래
그리고 마음속 깊은 곳의
소리 없는 대화를.

국화꽃 사이로
가을의 마지막 인사를 건네며
우리는 다시 만날 것을 약속한다.

추수의 기쁨

가을 들녘에 울려 퍼지는
추수의 노래가 시작되네.
황금빛으로 물든 들판
풍성한 결실의 약속.

농부의 손길이 닿는 곳마다
곡식들이 고개를 숙이고
흙내음 가득한 공기 속
기쁨의 웃음꽃이 피어나네.

마음까지 따뜻해지는
가을 햇살 아래
서로의 수고를 나누며
추수의 축제를 즐기네.

가을바람에 실려오는
흥겨운 노랫소리
추수의 기쁨을 온 마을에
널리 퍼트리네.

이제 창고는 가득 차고
한 해의 노고에 감사하며
풍요로운 밤을 맞이하네.
추수의 기쁨, 가을의 선물.

농부의 노래

흙을 가르는 손길이
곡식을 키워내고
땀방울 하나하나가
풍요로운 내일을 약속하네.

아침 이슬과 함께
일터로 나서는 농부
그의 발걸음은 무겁지만
마음은 가벼워라.

노래하며 논을 가로지르고
흥얼거리며 밭을 일구네.
가을이 주는 선물을
기다리는 마음 설레임 가득.

풍성한 수확 앞에
농부의 얼굴엔 웃음꽃
그의 노래는
흙과 함께 자라나는 희망의 노래.

가을바람에 실려 퍼지는
농부의 노래는
대지의 사랑과
인간의 정성을 담아내네.

그 노래 속엔
자연과의 동행
삶의 진실한 의미를
가르쳐주는 지혜가 담겨 있어라.

농부의 노래야, 멀리멀리 퍼져라.
너의 멜로디가
세상 모든 삶에게
희망의 씨앗을 뿌리게 하라.

빨간 사과의 유혹

가을 햇살 아래 빛나는
빨간 사과 하나
그 유혹적인 모습에
손이 절로 뻗어간다.

달콤한 향기가 가득한
사과밭을 거닐 때
마음은 이미 사로잡혀
행복한 미소를 짓는다.

한 입 베어 물면 터지는
즙이 입안을 가득 채우고
가을의 선물 같은
그 맛에 빠져든다.

빨간 사과의 유혹은
가을의 정취와 어우러져
잊을 수 없는 추억을 만들어낸다

사과 한 알에 담긴
자연의 기운을 느끼며
가을의 풍요로움을
한껏 만끽한다.

빨간 사과야, 너의 유혹에
기꺼이 넘어가리라.
너는 가을의 달콤한
사랑의 매개체니까.

노란 감의 달콤함

가을의 햇살 속에서
노란 감이 익어가네
달콤한 향기가 가득하여
마음까지 달아오르네.

손에 쥔 홍시 한 알
부드러운 살결이
입안에서 사르르 녹아내리고
가을의 정취가 느껴지네.

창고를 가득 메운
노란 보석들
추수의 기쁨을
더욱 풍성하게 하네.

감나무 아래 서성이며
가을바람에 실린
홍시의 달콤함에 취해
잠시 모든 걱정을 잊네.

노란 홍시의 달콤함이여
가을의 마지막 인사를 전하며
우리의 마음을
평온하게 해주소서.

배의 부드러운 속삭임

가을이 오면 배나무는
조용히 속삭이기 시작하네.
그 부드러운 목소리로
계절의 변화를 알리는구나.

햇살에 반짝이는 이슬
배의 피부를 촉촉이 적시고
그 달콤한 향기가
가을바람에 퍼져나가네.

손에 쥔 배 한 알
그 시원한 맛과 달콤한 배즙은
입안에서 사르르 녹아내리며
가을의 정취를 전해주네.

배의 속삭임은
가을의 노래가 되어
우리의 마음을
평온하게 해주는구나.

가을의 들판을 거닐며
배의 부드러운 속삭임에 귀 기울이면
잠시나마 세상의 소란을 잊고
평화를 찾을 수 있네.

배야, 너의 부드러운 속삭임으로
가을의 풍요로움을 더해주렴.
너는 가을의 달콤한
위로가 되어주니까.

대추나무 아래에서

가을이 깊어가는 소리
대추나무 아래에서 들려오네.
달콤한 열매가 익어가는 소리
가을의 정취를 더해주는구나.

대추나무 아래 누워서
하늘을 바라보니
가을 하늘은 더욱 푸르고
대추는 더욱 붉게 빛나네.

대추의 달콤함은
가을의 선물 같아
한 알 한 알이 주는 기쁨이
마음을 풍성하게 하네.

대추나무 아래에서
잠시 쉬어가는 이 시간
가을의 여유를 만끽하며
평온을 찾는구나.

대추야, 너의 달콤한 맛으로
우리의 가을을 더욱 달콤하게 해주렴.
너는 가을의 따뜻한
위로가 되어주니까.

알밤과 함께한 오후

가을의 정취 속에서
알밤과 함께한 오후
그 소박한 기쁨이
마음을 따뜻하게 해준다.

손안에 쏙 들어오는
알밤 한 알의 무게감
그것은 가을의 선물이자
소중한 자연의 이야기.

차가운 바람이 불어와도
알밤의 따스함은 변치 않고
그 맛과 향기가
가을의 추억을 불러온다.

알밤을 까며 보낸 시간
담소를 나누는 가족의 웃음소리
그 소중한 순간들이
가을의 오후를 더욱 특별하게 만든다.

알밤과 함께한 오후야
너는 가을의 정서를 담은
시인의 마음을
풍요롭게 해주는구나.

황금물결 들판을 거닐며

황금빛 물결이 일렁이네
걸음마다 소리 없는 음악이 되어
내 마음을 울려주는구나.

풍성한 이곳에서
곡식들이 머리를 숙이고
가을의 바람에 몸을 맡기며
자연의 선율을 연주하네.

황금 들판을 거닐며
내 영혼은 자유를 얻고
마음은 가벼워져
세상의 번잡함을 잊는다.

이 황금빛 풍경 속에서
나는 가을과 대화를 나누고
시간이 멈춘 듯
평화로운 안식을 찾네.

황금물결 들판이여
너는 가을의 따스한 품이 되어
우리 모두에게
휴식과 위안을 주는구나.

추분의 조화

가을이 오면 낮과 밤이
동일한 길이로 인사를 나누네.
추분의 날, 자연의 균형이
완벽한 조화를 이루는 시간.

풍요로운 수확의 기쁨과
가을의 서늘한 공기가
만나 이루는 조화로운 선율
그 속에서 평온을 찾아내네.

나무와 풀, 꽃과 열매
모두가 가을의 향연에 참여하여
추분의 조화 속에서
자신만의 빛을 발하네.

가을 들판을 거닐며
내 마음도 그 조화를 따라
평온의 리듬을 타고
삶의 균형을 찾아가네.

추분이여, 너는 가을의 중심에서
우리에게 균형과 조화의 가르침을 주니
너의 소중한 교훈을 가슴에 새기며
가을의 길을 걸어가리라.

밤송이의 소곤거림

가을밤 소곤대는 밤송이
그윽한 숲의 속삭임 속에서
은은한 달빛 아래
조용히 이야기를 나눈다.

밤송이 너의 껍질 속에
담긴 이야기는 무엇일까
가을의 서늘한 바람을 타고
나지막이 들려오는 너의 노래.

흙에 묻힌 밤송이마다
가을의 향기를 품고
숲속의 작은 생명들에게
따뜻한 보금자리를 제공하네.

밤송이야, 너의 소곤거림으로
가을 숲의 평화를 노래하라.
너는 가을의 조용한
위로가 되어주니까.

한가위의 추억

가을이 깊어가고 한가위가 오면
넉넉한 달빛 아래 모여 앉아
가족의 웃음소리가 더욱 빛나네.

풍성한 과일과 함께 차려진 상
그 위로 부드러운 송편 하나하나에
가족의 사랑과 정성이 스며들어.

추억이 깃든 소리, 윷놀이의 웃음
어린 시절로 돌아가는 마법 같은 시간
한가위의 밤은 우리를 하나로 묶네.

달빛 아래 소원을 빌며
가을 하늘에 희망을 걸고
풍요로운 내일을 꿈꾸는구나.

가을 한가위야, 너는
우리에게 행복과 사랑을 가져다주는
가을의 가장 따뜻한 선물이니.

윤동주 시인과 가을

가을이 오면 윤동주 시인의
그리운 목소리가 들려오네
별들 사이로 흐르는 시간 속에서
가을의 쓸쓸함과 만나다.

단풍잎 사이로 스며드는
그의 시 한 구절
가을의 깊은 정서를
우리에게 속삭이네.

윤동주 시인의 눈으로
가을을 바라보니
그의 마음과 닮은
가을의 색이 더욱 짙어지네.

가을바람에 실려오는
그의 시의 울림
가을과 함께하는 그의 정신이
우리의 가슴속에도 살아 숨 쉬네.

윤동주 시인과 가을이여
너희 둘의 만남은
한국의 가을을 더욱 풍요롭게 하고
시인의 마음을 더욱 깊게 만드는구나.

가을 소풍

가을 아침 설렘이 가득한
소풍 길을 떠나볼까
길가에 물든 단풍잎 사이로
가벼운 발걸음을 옮기며.

햇살 좋은 날 돗자리 펼치고
푸른 하늘 아래 쉬어가는 시간
마음껏 웃고 떠들며
소중한 추억을 쌓아가네.

가을바람에 흩날리는 낙엽을 따라
어린 시절의 기억을 되새기며
숲속의 작은 친구들과 인사를 나누고
자연의 선물에 감사를 표하네.

소풍 가방 속 간식을 꺼내며
서로의 정을 나누는 그 순간
가을의 풍요로움을 느끼며
행복이 가득 차오르는구나.

가을 소풍이여, 너는
우리에게 일상의 쉼표를 주고
가을의 따스한 햇살처럼
마음을 포근하게 해주는구나.

낙엽과의 대화

가을이 깊어가는 길목에서
낙엽과 나누는 조용한 대화
그들은 바스락거리며
지나간 여름을 회상하네.

한 잎 두 잎 소리 없이 내려앉아
가을의 흔적을 남기는 낙엽들
그들의 이야기는 가을의 색으로
우리의 마음을 채워가네.

낙엽이 들려주는 이야기 속에서
삶과 자연의 순환을 느끼며
잠시나마 세상의 소란을 잊고
가을의 정취에 취하네.

가을바람에 춤추는 낙엽과 함께
걷는 이 길이 얼마나 소중한지
낙엽과의 대화는
가을의 소리를 듣는 시간이니.

단풍잎의 노래

가을이 깊어가는 숲속에서
단풍잎이 노래를 시작하네
그들의 색색깔 옷이
가을의 멜로디를 연주하네.

붉게 노랗게 오렌지빛으로
숲을 아름답게 수놓으며
가을바람에 춤추는 단풍잎은
계절의 변화를 노래하네.

한 잎 두 잎 낙엽이 되어
대지를 부드럽게 감싸고
그들의 이야기는 가을의 색으로
우리의 마음을 채워가네.

단풍잎의 노래는
가을의 정취를 담아내고
잠시나마 세상의 소란을 잊게 하며
가을의 정취에 취하게 하네.

은행잎 아래서

가을이 깊어가는 길목에서
은행잎이 길을 밝혀주네
그 노란 빛깔이
가을의 따스함을 전해주는구나.

은행잎 아래 조용히 앉아
가을 햇살을 만끽하며
그늘 아래에서 느껴지는
평온함에 마음이 쉬어가네.

가을바람에 하나둘 떨어지는
은행잎의 부드러운 소리
그 소리가 우리의 대화가 되어
가을과 소통하는 시간이니.

은행잎이 덮인 길을 걸으며
가을의 정취에 취하고
그 아래에서 우리는
잠시나마 세상을 잊는다.

은행잎아, 너의 따스한 색으로
가을의 길목을 더욱 빛내주렴.
너는 가을의 포근한
이야기꾼이 되어주니까.

맑은 가을 하늘에게

가을 하늘아, 너는 어찌 그리 맑은가
푸른색이 선명하여
마음까지 맑게 하는구나.

네게 구름 한 점 없이
펼쳐진 그 넓은 가슴
그 속에서 자유를 느끼며
가을의 숨결을 마신다.

가을 햇살이 너를 비추니
너의 푸르름은 더욱 돋보여
그 아래 모든 생명은
너의 따스함에 기댄다.

맑은 가을 하늘아
너의 청명한 모습에
가을의 정취가 더해지고
우리의 마음은 평화를 얻는구나.

너는 가을의 맑은 눈동자
우리에게 희망의 메시지를 전하니
너의 맑음 속에서
가을의 의미를 되새긴다.

편지 한 장의 추억

가을바람에 흩날리는 낙엽 사이로
편지 한 장이 손에 들어오네
오랜 시간을 건너온 글씨들이
마음을 따뜻하게 어루만지네.

잊혀진 추억들이 문득 떠오르고
가을 하늘 아래 서성이며
그리운 이의 목소리가 들려오는 듯
편지 속에 담긴 마음을 읽네.

편지 한 장에 새겨진 시간은
가을의 정취와 어우러져
지나간 날들의 소중함을
다시금 일깨워 주는구나.

가을의 길목에서 편지를 펼치며
따스한 추억에 잠기는 오후
그 속에서 우리는
잠시나마 세상을 잊는다.

편지야, 너의 한 자 한 자에
가을의 정서를 담아
우리의 마음을
풍요롭게 해주는구나.

첫사랑의 가을

가을 하늘처럼 맑은 그대 눈빛
첫사랑의 설렘을 담아
가을의 시작을 알리는 듯
서투른 고백이 떨림으로 번져가네.

단풍이 물드는 그 길을 걸으며
손끝이 스치는 작은 전율
가을바람에 실려오는
그대의 목소리에 마음이 설레네.

가을꽃처럼 수줍게 피어나는
첫사랑의 기억들
그 감정의 색은 가을 하늘보다
더욱 짙고 선명하게 남아있네.

가을 저녁 별빛 아래 속삭임은
오래도록 마음속에 남을 추억으로
첫사랑의 순수함이
가을의 정취와 어우러지는구나.

그대와 나눈 첫사랑의 가을은
시간이 흘러도 변치 않는
가을의 향기처럼
내 기억 속에 영원히 남아있네.

고등학교의 가을

가을이 오면 학교의 운동장에
낙엽이 하나둘 쌓여가고
청춘의 발걸음은 가벼워져
가을의 리듬을 타네.

교실 창가에 비치는 햇살은
책상 위에 금빛 그림자를 그리고
가을 하늘을 바라보는 순간
모든 걱정이 잊혀지네.

추억이 담긴 교정을 거닐며
친구들과 나누는 웃음과 대화
그 소중한 순간들이
가을의 정취와 어우러지네.

가을바람에 흩날리는 낙엽처럼
우리의 꿈도 자유롭게 펼쳐지고
첫사랑의 설렘도
가을과 함께 속삭이는구나.

고등학교의 가을이여
너는 우리에게 잊지 못할 추억을 선사하고
가을의 따스한 햇살처럼
마음을 포근하게 해주는구나.

짝사랑의 계절

가을바람이 속삭일 때
마음 한편 조용히 피어나는
짝사랑의 감정 아련하게 번져가네.

낙엽이 하나 둘 떨어질 때마다
숨겨둔 마음도 조금씩 내려앉고
그대 모습 뒤로 한 걸음 물러서서
가을의 정취 속에 묻어두네.

햇살 좋은 오후 그대 웃음에
가슴 한켠이 설레임으로 물들고
하지만 가을이 깊어갈수록
그리움만 더해가는구나.

가을이 가져다주는 선물 같은
그대의 모습 멀어져만 가고
짝사랑의 계절은 조용히
내 마음속에만 남아있네.

입추의 계절

가을의 문턱에 선
첫 발자국이 차갑게 느껴질 때
입추의 시작을 알리는
그 순간 마음이 설레네.

푸른 하늘 아래
긴 여름의 끝을 바라보며
가을의 첫날을 맞이하는
그 기분 어쩌면 쓸쓸하고도 달콤하네.

가을 바람이 속삭이는
그 말에 귀 기울이면
새로운 계절의 소리가
가슴 속에 파문을 일으키네.

입추야, 너는
한 해의 변화를 가져다주는
소중한 시작이니
너의 길을 따라
가을의 여정을 시작하리다.

가을 산행의 즐거움

산길을 따라 걷는 발걸음마다
가을이 선사하는 선물을 발견하네
단풍이 물든 숲속의 오솔길을
한 걸음 한 걸음 내딛으며

산봉우리에 닿을 때마다
탁 트인 가을 하늘을 만나고
그 아래 펼쳐진 황금 들판과
산들의 울긋불긋한 조화에 감탄하네.

가을바람이 속삭이는 이야기에
귀 기울이며 잠시 쉬어가는 나무 벤치
그곳에서 맞이하는 평화로운 휴식은
산행의 또 다른 즐거움이니.

산 정상에서 바라보는 저녁노을은
가을의 마지막 인사처럼 아름답고
그 순간 모든 시름을 잊고
가을과 하나가 되네.

가을 산행이여, 너는
우리에게 자연의 아름다움을 일깨워 주고
가을의 정취를 가득 안고
돌아오는 길을 더욱 특별하게 만드는구나.

제 5 부
겨울

겨울의 노래: 별빛 아래서

겨울의 길목에서

겨울이 오는 길목에서
하얀 눈이 소리 없이 내려앉고
세상은 잠시 숨을 고르네.

추위 속에서도 따스함을 찾아
사람들은 마음의 불을 지피고
그 빛은 어둠을 밝히는 등대가 되네.

겨울의 길목에서
우리는 서로의 손을 꼭 잡고
함께 걷는 이 길이
얼마나 소중한지를 느끼네.

별빛 아래 겨울의 길목에서
우리의 이야기는 계속되고
그 속에서 우리는 영원을 꿈꾸네.

첫눈 오는 날

하늘에서 내려온 첫눈처럼
세상은 새하얀 꿈으로 물들고
마음은 기쁨과 감사로 가득 차네.

첫눈 오는 날 사랑의 온기가
추억의 페이지를 넘기며
깨끗한 시작을 약속하는 듯해.

삶의 따스함이 느껴지는 그 순간
애절한 마음은 하얀 눈송이에 담겨
사랑하는 이의 손을 잡고 약속을 나누네.

첫눈 오는 날, 우리의 마음은
감동의 노래를 부르며
후대에 길이길이 전해질 명시를 쓰네.

겨울 새벽의 속삭임

새벽이 깨어나는 마을 개울가
물은 조용히 이야기를 시작하네.
잠들어 있던 세상을 부드럽게 깨우며
개울의 속삭임은 새벽의 평화를 노래하네.

은은한 빛을 머금은 물결 위로
새벽의 첫 번째 숨결이 스치고
개울가의 돌과 풀들도
그 속삭임에 귀 기울이네.

마을 사람들은 아직 잠들어 있지만
자연은 이미 새로운 하루를 맞이하고
개울의 새벽 속삭임은
모든 이의 꿈속으로 스며드네.

눈 내리는 마을

하얀 눈이 내리는 마을에서
조용히 세상을 감싸 안네.
은빛으로 물든 거리마다
평화롭고 따뜻한 빛이 반짝이네.

창문 너머로 보이는
눈 내리는 마을의 풍경은
마치 동화 속 한 장면처럼
마음을 포근하게 만들어주네.

아이들의 웃음소리와
눈사람들이 즐비한 곳
눈 내리는 마을은
겨울의 기쁨을 선사하네.

추위 속의 따스함

추위가 온 세상을 감싸도
어머니의 품처럼 따스한 곳이 있어.
그곳에선 찬 바람이 불어와도
마음만은 언제나 봄날처럼 따뜻해.

창밖에 펄펄 내리는 눈을 보며
어머니의 손길이 느껴지는 듯해.
그 손길에 이끌려 조용히 다가가면
추위 속에서도 온기가 가득해.

어머니의 품, 그 따뜻한 안식처에서
세상의 모든 추위가 사라지네.
그 품 안에서 우리는 다시 배우네
사랑이란 무엇인지
따뜻함이란 무엇인지

소복이 쌓인 추억

소복이 쌓인 눈처럼
추억들이 마음 한켠에 조용히 내려앉네.
그리운 얼굴들 따뜻했던 순간들
모두가 시간 속에 고이 접혀진 편지처럼.

차가운 겨울바람 속에서도
그리움은 더욱 선명해지고
마음 깊은 곳에서부터
온기를 불어넣는 옛사랑의 노래.

애절한 마음으로 불러보는
오래된 이름 하나하나가
소복이 쌓인 추억 속에서
살며시 눈물 되어 흐르네.

겨울 바다의 노래

파도가 바위섬에 부딪혀 산산이 부서지고
갈매기가 나는 모래사장 위
사랑하는 사람의 이름을 쓰네.

밀려오고 다시 밀려가는 파도 속에
그 이름은 잠시 머물다 사라지고
흰 구름은 하늘을 떠돌며
밤하늘 별빛의 반짝임을 비추네.

겨울 바다의 노래는
서정적인 멜로디를 이루며
추운 계절 속에서도 마음을 따뜻하게 하고
잔잔한 감동을 선사하네.
겨울 바다의 노래

겨울 바다가 속삭이는 노래
파도는 바위에 부딪혀 울림을 남기네.
갈매기의 날갯짓이 조화를 이루며
모래사장에 사랑의 이름을 새기네.

밀려오는 파도가 그 이름을 쓰다가
다시 물러가며 이별을 고하고
흰 구름은 떠도는 꿈을 싣고
밤하늘 별빛은 반짝임을 선사하네.

빙판 위의 발자국

차가운 빙판 위에 남겨진 발자국
조심스레 걸음을 옮기는 순간들.
각각의 자국이 이야기를 담고 있어
마음의 무게를 조금씩 나눠가지네.

빙판을 밟는 것은 용기의 시험
때론 미끄러지기도 하지만
그 속에서 배우는 균형과 인내
삶의 교훈을 담은 겨울의 선물이지.

발자국은 잠시 후 사라져도
그 기억은 마음속에 오래 남아
빙판 위를 걷는 우리 모두의 여정
서로를 이해하고 사랑하는 법을 가르치네.

찬란한 설경

하얀 눈이 내려앉은 세상
찬란하게 빛나는 설경 속으로.
산과 들, 나무와 집들마다
은빛 옷을 입고 반짝이는 모습이여.

차가운 공기를 가르며
햇살이 눈 위에 내리쬐고
빛의 축제처럼 눈부신 광경
겨울이 선사하는 순수한 아름다움.

마음까지도 흰색으로 물들이며
평온함과 새로운 시작을 알리는
찬란한 설경은 겨울의 시
조용히 우리의 마음에 스며드네.

어름 꽃피는 아침

새벽의 서리가 내려앉은 들판에
어름 꽃이 피어나는 아침.
은방울꽃처럼 맑고 고운 이슬
햇살에 반짝이며 새날을 알리네.

차가운 밤의 기억을 녹이며
어름 꽃은 조용히 세상을 깨우고
그 존재만으로도 순수한 아름다움을
이 세상에 가득 퍼트리네.

어름 꽃피는 아침은
겨울이 물러가고 봄이 오는 소리
희망의 메시지를 담은 자연의 선율
마음을 따뜻하게 하는 생명의 노래.

하얀 세상의 고요

하얀 눈이 내려와 세상을 덮고
고요함이 마음 깊숙이 스며드네.
소리 없이 펼쳐진 흰색의 장막
겨울의 숨결이 느껴지는 시간.

나무마다 눈꽃이 피어오르고
하얀 세상은 평화로움을 노래하네.
잠시 멈춘 듯한 세상 속에서
고요한 눈의 세계가 영원을 약속하네.

눈부신 태양 아래

눈부신 태양 아래 찬란한 빛이 내리쬐고
하얀 눈이 반짝이는 겨울의 풍경 속으로.
따스한 햇살이 눈 위에 스며들어
추위 속에서도 삶의 온기를 느끼게 하네.

눈부신 태양 아래 길을 잃은 이의 나침반
희망의 빛으로 가득 찬 하늘을 바라보며
마음속 깊은 곳의 얼음도 녹여내고
새로운 시작의 메시지를 전해주네.

눈부신 태양 아래 우리는 다시 깨닫고
자연의 아름다움과 삶의 소중함을
그리고 모든 것이 지나가리라는 것을
겨울의 끝자락에서 따뜻한 봄을 기다리며.

겨울산의 정적

겨울산에 내려앉은 정적 속에서
자연의 숨결만이 고요히 울려 퍼지네.
눈 덮인 나무들 사이로
세상의 소음은 모두 사라지고.

하얀 설원 위를 걷는 발걸음조차
소리 없이 눈을 밟으며
산의 정적 속에 녹아들어
마음마저도 평화로워지네.

끝없이 펼쳐진 겨울산의 풍경은
정적이 주는 선물 같아.
마음을 비우고 세상을 잊고
자연과 하나 되는 순간.

서리 내린 창가에서

서리 내린 창가에서 바라보는 세상
은빛으로 물든 아침의 조용함.
창문에 그려진 얼음꽃
겨울이 숨결을 불어넣은 작품이지.

차가운 유리 너머로
따스한 실내의 온기가 더욱 소중해.
서리 내린 창가에서
우리는 겨울의 아름다움을 느끼며
삶의 작은 기쁨을 찾아내네.

눈사람과의 대화

눈사람아, 너는 어디서 왔니?
하얀 세상의 조용한 파수꾼
차가운 겨울 바람 속에서도
너는 항상 미소를 잃지 않는구나.

눈사람아, 너는 무엇을 꿈꾸니?
별빛 아래 서서히 녹아내리는
너의 시간, 너의 순간들
너는 어떤 이야기를 가지고 있니?

눈사람아, 너도 우리처럼
따뜻한 봄날을 기다리니?
아니면 차가운 겨울이 좋아
영원히 여기 서 있고 싶니?

눈사람아, 네가 없는 겨울은
상상할 수 없는 일이야.
너는 겨울의 친구이자
우리 모두의 소중한 추억이니까.

얼어붙은 강가에서

얼어붙은 강가에서 조용한 겨울의 숨결
물결은 잠시 멈추고 시간은 얼어붙네.
강물 위에 서린 안개 차가운 공기를 가르며
자연의 고요함이 마음 깊숙이 스며드네.

얼음의 표면을 걷는 발자국 하나하나
겨울의 이야기를 새겨놓는 듯해.
강가의 나무들도 눈을 내리깔고
세상의 정적을 함께 나누는 듯 서 있네.

얼어붙은 강가에서 생명의 기운은 잠시 숨죽이고
봄이 오기를 기다리는 인내의 시간.
그러나 이 고요 속에서도
희망의 불씨는 여전히 살아있어
언젠가 다시 피어날 생명의 노래를 속삭이네.

겨울 숲의 신비

겨울 숲속에 숨겨진 신비
은빛으로 물든 나무 사이로
조용히 걸음을 옮기는 순간
숲은 옛이야기를 속삭이네.

눈 내린 가지들은 부드럽게 흔들리며
숲의 정적 속에 생명의 노래를 불러
그 속삭임은 겨울의 마법 같아
마음을 사로잡는 신비로운 선율.

하얀 눈이 만들어낸 풍경 속에서
숲은 그 자체로 한 폭의 그림이 되고
겨울이라는 화가가 그려낸
아름다운 자연의 신비를 선사하네.

눈꽃 사이로

흰 눈이 내리는 산길을 걸으며
눈꽃 사이로 피어나는 생각들
차가운 공기 속에서도 따스함을 느끼게 해주는
그대의 미소가 떠오르네

한 걸음 한 걸음 내딛는 발걸음마다
소리 없이 내려앉는 눈송이처럼
조용히 그러나 확실히
마음속에 사랑을 쌓아가네

산 정상에 서서 바라보는 세상은
눈부시게 아름다워
그 아름다움 속에서 깨닫게 되는 것
진정한 가치는 눈에 보이지 않는 곳에 있다는 걸

눈꽃 사이로 그대와 나누는 이 순간
영원히 간직하고 싶은 추억으로 남을 거야
이 겨울이 지나고 봄이 오면
우리의 사랑도 새싹처럼 싹트리라

한파 속의 온기

차가운 겨울바람이 불어와도
내 마음은 따뜻해
한파 속에서도 느껴지는
그대의 온기 때문이야

눈보라 치는 밤하늘 아래
별빛이 반짝이듯
그대의 사랑은 내게
희망의 빛을 선사해

얼어붙은 세상 속에서도
그대는 나의 봄날 같아
그대의 웃음 한 조각에
모든 추위가 녹아내리네

한파 속의 온기야말로
진정한 사랑의 힘을 보여줘
그대와 함께라면
어떤 추위도 두렵지 않아

겨울밤의 꿈

겨울밤 별이 쏟아지는 하늘 아래
잠든 세상을 헤매는 꿈속에서
나는 그대를 만나러 갑니다
눈 내리는 길을 따라 조용히 끝없이

그대의 손을 잡고 춤을 추며
은하수를 건너는 듯한 기분
우리만의 시간 우리만의 공간에서
사랑의 언어로 속삭이네요

겨울밤의 꿈 그대와 나누는
이 순간이 영원히 계속되길
눈부신 아침이 밝아오면
그대의 품에서 깨어나고 싶어요

그대와 함께라면 추운 겨울도
따뜻한 봄날처럼 느껴지니까
이 겨울밤의 꿈을
함께 꾸고 싶어요

서리 맞은 꽃

서리 내린 새벽 차가운 이슬에
꽃잎이 하얗게 물들 때
잠시 멈춰 서서 바라보네
그대의 순결한 아름다움을

얼음장 같은 세상 속에서도
피어나는 당신의 용기에
가슴 깊이 감동을 받으며
따뜻한 눈물이 흐르네

서리 맞은 꽃은 말없이
겨울의 엄혹함을 견디고
봄을 기다리는 소망으로
세상에 희망의 빛을 비추네

그대여 서리 맞은 꽃처럼
아픔 속에서도 아름다움을 잃지 말고
희망을 품으며 새로운 날을 준비하소서
그대의 봄은 반드시 올 테니까요

눈 내린 정원에서

하얀 눈이 내려앉은 정원에서
조용히 세상을 바라보네
눈꽃이 만든 순백의 장막 속
모든 소리가 멎은 듯한 고요함

나뭇가지 위에 쌓인 눈은
마치 시간마저 머무는 듯
눈 내린 정원은 마법 같은 공간
잊혀진 추억들이 깨어나는 곳

차가운 공기를 가르며
따스한 차 한 잔의 여유를 즐기며
눈 내린 정원의 평화로움에
마음까지 포근해지는 순간

눈 내린 정원에서 나는 깨달아
소중한 것들은 항상 조용히 다가와
가장 평범한 순간 속에서도
진정한 아름다움을 발견하게 되네

겨울 해질 때

눈 내린 들판에 서서
겨울 해 질 녘의 정취를 느끼네
붉게 타오르는 하늘 아래
하루의 마지막 빛이 사그라들고

추위에 떨며 서 있는
작은 나무 하나 그림자를 길게 늘이고
눈 위에 어렴풋이 남은 발자국들은
가물가물한 기억처럼 희미해져 가네

조용히 천천히
어둠이 내려앉는 이 시간
겨울 해질 때의 고요함 속에서
내일을 꿈꾸며 잠이 들어요

눈 내린 들판에서
겨울 해질 때의 평화로움을
가슴 깊이 새기며
따뜻한 밤을 맞이하네

별이 빛나는 밤에

별이 빛나는 밤에 조용히 창을 열어
은하수를 닮은 빛의 강을 바라보며
그대와 나누던 꿈들을 떠올려요
우리의 소망이 하늘에 닿기를

밤하늘의 별들이 반짝이는 것처럼
그대의 눈동자도 빛나고 있네
이 밤, 이 순간, 모든 것이 멈춘 듯
시간조차 그대를 향해 춤을 추네

별빛 아래 속삭이는 이야기들
그대의 웃음소리에 귀 기울이며
별이 빛나는 밤에 소원을 빌어요
그대 곁에 영원히 머물기를

별이 빛나는 밤에 우리의 사랑도
하늘의 별처럼 영원히 빛나길
그대와 함께라면 어둠도 두렵지 않아
별이 빛나는 밤에 그대와 함께

겨울의 노래

겨울밤 하늘을 수놓은 별들이
은은한 빛으로 대지를 비추네.
차가운 공기를 가르며
소복이 쌓인 눈 위를 걷는 발걸음.

마을은 조용하고 창가에는
어스름이 내려앉아 평화를 노래하네.
집집마다 따스한 불빛이 반짝이고
사랑과 정이 오가는 이야기꽃이 피어나.

한옥의 기와 위로 내리는
소리 없는 눈송이들
그 아래서 사람들은
옹기종기 모여 옛이야기를 나누네.

별빛 아래서 겨울의 정취를 담아
시 한 편을 적어보네.
그대의 눈빛처럼 반짝이는
이 밤 이 순간을 기억하리.

나에게 글 쓰기란?

글쓰기는 시간을 초월하는 기록을 통한 보존 예술이다. 어수선한 삶의 틈바구니에서도 조용히 속삭이는 고요를 찾아내고 헝클어진 기억들도 하나하나 펼쳐 어제의 조각들을 오늘의 이야기처럼 엮어내는 예술이다.

글을 쓸 때는 조금 부담감과 긴장감도 있지만 행복한 마음으로 열정을 다 한다. 완성된 문장들은 짜릿한 기쁨을 선사하기도 한다.

작년부터 열정만 가지고 시작한 초보 글쓰기 모임

에서 철자법과 문맥이 맞지 않는 글이지만 인천광역
시교육청 중앙도서관에서 읽·걷·쓰 사업의 일환으로
공동으로 만들어진 책들은 소중한 보물처럼 고이 간
직한다. 내면의 좋은 생각들이 글 속에 스며들어, 정
리되고 다듬어지고 순화되어, 새로운 내일을 그려내
는 것이다. 살아온 수많은 날의 무게를 글로 담아
내일을 향한 발걸음을 가볍게 하는 희망 같은 것이
다. 아름다운 추억들은 글로 새겨져 시간이 흘러 읽
어보면 밤하늘에 빛나는 별이 되어 어두운 인생의
밤길을 비추어주는 등불이 되어 준다.

글을 쓰기 위해서는 나와 상관없는 대중 속에 무
책임하게 지나쳐 버릴 일들도 유심히 관찰하고 사물
에 말을 걸어본다. "나무야! 지난 겨울 추위를 어떻
게 견뎌냈니?" 겨울 추위가 아무리 혹독해도 봄을
이길 수 없고 삶이 아무리 간절해도 죽음을 거스를
순 없다. 겨울이 있어 봄은 더욱 기다려지고 인생이
유한하기에 못다한 아쉬움이 남기에 더욱 아름다운
것 그 짧음으로 인하여 오늘에 감사하며 소중함을
더욱 알게 되지. 글을 쓰기 위해 오감을 열어 세상

과 소통하며 더 나은 세상 더 아름다운 세상을 위해 많은 사람이 공감하는 글을 써서 전하기 위해 아름다웠던 장면들을 글로 표현해 본다.

글쓰기는 삶의 일부이자 호흡 같은 것이다. 나의 존재를 있게 하는 것이다. 그리고 나의 영혼을 담는 그릇 정보의 홍수 속에서 나만의 질서를 부여하고 내일을 꿈꾸며 오늘을 살아갈 힘과 용기를, 글쓰기를 통해서 얻어지고 마음에 상처들을 치유하고 풍성한 정신세계의 자유의 나래를 마음껏 펼치게 해주며 글쓰기는 시간을 초월하는 아름다운 찰나적인 순간의 장면들을 영원히 보존하는 예술인 것이다.

나는 글쓰기를 좋아하고 글쓰기를 통해서 내면세계의 질서와 많은 성장을 이루어가고 있다. 내가 이 세상에서 살아 숨 쉬는 그날까지 나를 찾고 나를 치유하고 나를 표현하는 살만한 좋은 세상을 함께 만들어가는 기록을 통한 시대를 뛰어넘는 보존 예술은 영원히 계속될 것이다.

174

<작가 소개>

남표경

남표경 시인은 계절의 변화를 섬세하게 포착하고 자연과 인간의 상호작용을 탐구하는 작품으로 널리 인정을 받고 있습니다.

그의 작품은 깊은 사색과 감성의 조화를 통해 독자들에게 생각할 거리를 제공하며, 각 계절의 독특한 아름다움을 예술적으로 표현합니다.

남표경의 다양한 장르에 걸친 저작들은 문학적 깊이와 함께 삶의 소중한 순간들을 섬세하게 담아내는 그의 능력을 증명합니다.

이번 시집 "한국의 아름다운 사계"는 계절 각각의 매력을 시로써 담아내어 자연의 리듬과 인간의 감정이 어우러진 시적 여정을 선사할 것입니다.